EINFÜHRUNG

Liebe Leserin, lieber Leser!

Sie haben sich entschlossen, Französisch im Selbststudium zu lernen. Dabei will Sie dieses Heftchen unterstützen. Bevor Sie an die erste Lektion herangehen, sollten Sie folgende Hinweise aufmerksam lesen und möglichst später auch beachten:

- Nur regelmäßiges Studium führt beim Erlernen einer Sprache zum Ziel. Es ist besser, täglich oder jeden zweiten Tag eine halbe Stunde oder eine Stunde intensiv zu lernen, als einmal pro Woche mehrere Stunden hintereinander.
- Sie werden am Anfang großen Spaß am Lernen haben und rasch vorankommen. Nach einiger Zeit gelangen Sie dann sicherlich an einen toten Punkt. Sie haben dann das Gefühl, nichts mehr richtig aufzunehmen und nicht weiterzukommen. Am besten setzen Sie dann einige Tage aus oder wiederholen nur kleine Abschnitte des bisher erledigten Pensums. Dehnen Sie die Pause jedoch nicht zu lange aus! Eine Woche sollte genügen.
- Von Anfang an sollten Sie das Studium durch passive Anwendung der Sprache (= Hören) unterstützen. Dafür besonders geeignet sind Filme in der Originalsprache, wie sie in Studio-Kinos und in den regionalen Studienprogrammen des Fernsehens gezeigt werden. Dabei werden Sie zunächst von der Bedeutung der einzelnen Wörter und Ausdrücke recht wenig verstehen. Allein die Gewöhnung des Ohrs an die französische Aussprache und Satzmelodie (die ganz anders ist als die deutsche) ist jedoch ungemein wertvoll.
- Nutzen Sie von Anfang an auch jede Gelegenheit, Ihr Französisch aktiv – d. h. selbst sprechend – zu benützen. Es verlangt zunächst natürlich etwas Überwindung, und man hat zu Beginn große Schwierigkeiten damit, die Antworten zu verstehen. Lassen Sie sich dabei nicht entmutigen! Jeder solche Versuch bringt Sie voran.

Und nun viel Spaß und viel Erfolg!

Verfasser und Verlag

Arbeitsmittel:

- Praktisches Lehrbuch Französisch von Langenscheidt
- Schlüssel zu den Übungen aus dem Praktischen Lehrbuch Französisch
- 2 Audiocassetten
- Vorliegendes Anleitungsheft für Selbstlerner
- ein zweisprachiges Wörterbuch von Langenscheidt
- Schreibmaterial

A. Lektion 1–10

LEÇON 1

1 A Legen Sie die erste Cassette in den Rekorder oder die erste Platte auf den Plattenteller.

Lassen Sie das Lehrbuch zunächst geschlossen!

(Der Lernprozeß soll in geraffter Form den Spracherwerb in der natürlichen Reihenfolge nachahmen, in der man die Muttersprache erwirbt: hören – sprechen – lesen/schreiben.)

Hören Sie sich den Text von Lektion 1 dreimal an. Dann schalten Sie nochmals auf Beginn von Lektion 1. Für das nun folgende Abspielen gelten zwei verschiedene Verfahren, je nachdem, ob Sie Cassetten oder Platten besitzen.

Cassetten: Stoppen Sie das Band nach jeder Sprechpause und versuchen Sie, die gehörte Sprecheinheit jeweils nachzusprechen.

Platten: Heben Sie den Tonarm nach der ersten Sprechpause und versuchen Sie, das Gehörte nachzusprechen. Dann setzen Sie den Tonarm wieder am Beginn der Lektion ein und lassen den Text von Anfang an ablaufen. Nach der zweiten Sprechpause heben Sie wieder den Tonarm und versuchen, die zweite Sprecheinheit nachzusprechen. Dann setzen Sie wieder neu ein und lassen die Lektion bis zur dritten Sprechpause ablaufen, heben dann den Tonarm und sprechen die bisher noch nicht nachgesprochene Sprecheinheit nach und so fort bis zum Ende des ersten Absatzes. Von da an setzen Sie den Tonarm entsprechend später auf und verfahren mit dem Rest der Lektion wie oben beschrieben. Der Einsetzpunkt ist dabei nicht wichtig, er soll nur einige Sprecheinheiten vor der nachzusprechenden Einheit liegen. Das Verfahren ist natürlich etwas umständlich, aber mit etwas Geschick erwirbt man sich rasch eine gewisse Fertigkeit.

Beim ersten Mal ist diese Nachsprechübung noch etwas schwierig. Wiederholen Sie die Übung so oft, bis Sie den Eindruck haben, daß Sie alle Sprecheinheiten einigermaßen richtig nachsprechen. Bei dieser ersten Lektion kann es sein, daß Sie diese Übung zehn- oder zwölfmal wiederholen müssen, bis es klappt. Nicht lockerlassen! In den folgenden Lektionen wird es zunehmend rascher gehen.

Nun schlagen Sie das Lehrbuch auf und legen sich den Text von Lektion 1 (1 A) zurecht. Hören Sie sich den inzwischen phonetisch vertrauten Text nochmals an, wobei Sie versuchen mitzulesen. Auch das wird zunächst nicht leicht sein. Deshalb muß auch diese Übung mehrmals (mindestens dreimal) wiederholt werden.

Nun nehmen Sie mit Hilfe des angegebenen Vokabulars zunächst eine mündliche, dann eine schriftliche Übersetzung des Lektionstextes vor. Prägen Sie sich den Sinn der kurzen Beschreibung und des Dialogs gut ein. Dann hören Sie sich den Lektionstext noch zweimal an, **ohne** mitzulesen. Der gesprochene Text müßte nun für Sie ziemlich verständlich geworden sein. Wenn dies nicht recht der Fall ist, noch zweimal aufmerksam anhören.

1 B Hören Sie sich die Beispiele zur Aussprache einmal aufmerksam an. Es werden sechs Laute eingeübt:

[ə] entspricht etwa dem deutschen *e* (fast ö) in Katze. Die Lippen sind dabei leicht vorgewölbt.

[e] entspricht etwa dem deutschen *e* in ewig. Die Lippen sind nur leicht geöffnet und breit.

[ɛ] entspricht etwa dem deutschen *e* (fast ä) in Eltern. Die Lippen sind weit geöffnet.

Die deutliche Unterscheidung dieser drei e-Laute ist enorm wichtig, ganz besonders bei [ə] und [e], da diese beiden Laute in der gesprochenen Sprache oft den einzigen Unterschied zwischen Singular (Einzahl) und Plural (Mehrzahl) darstellen. Nehmen Sie einen Spiegel zur Hand und prüfen Sie, ob sich die Stellung Ihrer Lippen bei den drei Lauten deutlich unterscheidet.

[õ], [ɑ̃] und [ɛ̃] sind Nasallaute, die wir im Deutschen nicht kennen. Häufigster Fehler: Viele Deutsche versuchen zunächst, den Nasallaut durch ein angehängtes *ng* auszudrücken. Besonders in Norddeutschland neigt man oft zu diesem Fehler, der von Anfang an zu vermeiden ist.

Hören Sie sich nun die einzelnen Wörter und Übungssätze aufmerksam an und sprechen Sie sie in der auf jedes Wort und jeden Ausdruck folgenden Nachsprechpause deutlich nach. Wiederholen Sie diese Übung vier- bis fünfmal. Die Beispiele zu den Nasallauten sollten Sie gesondert noch einige Male ablaufen lassen und nachsprechen, bis Sie den Eindruck haben, daß die Nasallaute bei Ihnen genauso klingen wie im Original.

Studieren Sie nun abschließend den Unterschied zwischen geschriebenem und gesprochenem Französisch anhand der Beispiele von 1 B. Sie werden vor allem feststellen, daß die meisten Endkonsonanten (Mitlaute) nicht hörbar sind.

1 C Grammatik intensiv studieren! Sollten Sie mit den lateinischen Grammatikbezeichnungen nicht vertraut sein, so schlagen Sie bitte in der Gegenüberstellung im Praktischen Lehrbuch Französisch, Seiten 21–22, nach.

Zu **bestimmter Artikel:** Hier ist von einem *stummen h* die Rede. Das *h* ist im Französischen an sich immer stumm. Aus historischen Gründen unterscheidet man jedoch zwischen dem *stummen h*, das so behandelt wird, als wäre es überhaupt nicht vorhanden (in *l'hôtel* z. B. wird der Artikel apostrophiert, so als begänne das Wort mit *o*), und dem sog. *aspirierten h*, das zwar auch nicht gesprochen wird, vor dem jedoch der Artikel nicht apostrophiert werden darf. Von diesem *aspirierten h* wird später noch ausführlicher die Rede sein.

Das stimmhafte Hinüberziehen des Endungs-s zum folgenden Wort ist sehr wichtig. Bitte gut einprägen!

Einen sächlichen Artikel (Neutrum) gibt es im Französischen nicht.

Zu **Personalpronomen:** Im Unterschied zum Deutschen gibt es auch im Plural eine männliche und eine weibliche Form.

Zu **Verb:** Beachten Sie auch hier das aus dem Lektionstext bekannte Hinüberbinden des Endungs-t von *est* und *sont* zum folgenden Wort, das mit Vokal beginnt (bzw. hier aus nur einem Nasalvokal besteht).

1 D a) Bitte tragen Sie die fehlenden Artikel nicht in die Übung ein, damit diese als Wiederholungsübung sinnvoll bleibt. Schreiben Sie Ihre Lösung auf ein Blatt Papier und überprüfen Sie sie dann mit Hilfe des Schlüssels. Anschließend zweimal mündlich wiederholen.

b) Nach dem Herausschreiben **zusammen mit dem Artikel** lernen. Das (n) im Schlüssel bedeutet „neutral = sächlich".

c) und d) Bei diesen Übungen sollten Sie zunächst Satz für Satz mündlich umformen und die Lösungen mit Hilfe des Schlüssels überprüfen. Erst wenn die Lösungen gut sitzen, ist die Übung zügig ohne Schlüssel durchzuführen (mindestens zweimal). Besonders vorteilhaft ist es, wenn jemand, der etwas Französisch kann, die Lösungen im Schlüssel mitverfolgt.

e) und f) Siehe Hinweis zu a).

g) Sätze erst mündlich, dann schriftlich übersetzen und anschließend mit Hilfe des Schlüssels **genau** überprüfen. Erfahrungsgemäß werden hier von Anfängern oft Orthographiefehler übersehen. Bitte vergleichen Sie Ihre Lösung mit dem Schlüssel zunächst wirklich Buchstabe für Buchstabe, bis Sie in der Orthographie etwas sicherer geworden sind. Übung mündlich zweimal wiederholen.

LEÇON 2

Bevor Sie an Lektion 2 herangehen:
- Vokabeln zu 1 A kurz wiederholen.
- Lektion 1 A nochmal kurz anhören.
- Ausspracheübung 1 B mit Nachsprechen wiederholen.
- Übungen 1 D a), c), d), e), f) mündlich wiederholen. Bei Unsicherheit ggf. im Schlüssel nachsehen.

2 A Bei geschlossenem Lehrbuch Lektion 2 A dreimal anhören. Dann nochmal abhören, dabei nach dem unter 1 A für Cassetten bzw. Platten angegebenen Verfahren nachsprechen. So oft wiederholen, bis die nachgesprochenen Abschnitte weitgehend dem Original entsprechen (mindestens dreimal).

Lektionstext anhören und dabei mitlesen (dreimal).

Text erst mündlich, dann schriftlich übersetzen. Nochmal den Text 2 A anhören, um zu überprüfen, ob er verstanden wird. Ggf. zwei- bis dreimal wiederholen.

2 B Ausspracheübung einmal aufmerksam anhören. Es werden folgende Laute behandelt:

[wa], geschrieben *oi*, ist für Deutsche nicht ganz einfach auszusprechen. Das in der Lautschrift dargestellte *w* ist nur andeutungsweise zu hören.

[s] ist ein stimm**loser** Laut. Fassen Sie sich beim Sprechen an den Kehlkopf: Er darf nicht vibrieren! Beachten Sie vor allem, daß jedes *s* am Anfang eines französischen Wortes stimm**los** gesprochen wird.

[z] ist ein stimm**hafter** Laut. Fassen Sie sich an den Kehlkopf: Er muß deutlich spürbar vibrieren. Vor allem jedes Bindungs-s (z. B.: *vous‿habitez*, *nous‿allons*) wird stimm**haft** gesprochen.

[œ̃] ist der vierte und letzte Nasal des Französischen. In der Umgangssprache wird er oft wie [ɛ̃] ausgesprochen.

Die einzelnen Wörter und Übungssätze nun aufmerksam anhören und nachsprechen (viermal).

2 C Grammatik aufmerksam durchgehen!

Zu **Personalpronomen:** Bitte beachten Sie, daß *je* [ʒə] bzw. *j'* [ʒ] stimm**haft** gesprochen wird. (Der Kehlkopf muß spürbar vibrieren.)

Zu **Verb:** Die Konjugation der Verben (vor allem auch *aller*) gut lernen, und zwar am besten mit kleinen Übungssätzen wie z. B.:

Je travaille chez Renault.
Tu travailles chez Renault. usw.

oder:

Je vais à l'école.
Tu vas à l'école. usw.

Das Üben mit kleinen Sätzen ist wichtig, weil man, wenn man nur die Verbformen durchkonjugiert, zu leicht in den Fehler verfällt, die Pronomen zu betonen, wodurch man sich eine falsche Satzmelodie aneignet.

Wie schon in Lektion 1 erklärt, ist im gesprochenen Französisch in der regelmäßigen Konjugation kein Endungsunterschied zwischen der 3. Person Singular *il travaille* [iltravaj] und der 3. Person Plural *ils travaillent* [iltravaj].

Bei *aller* ist in der 1. und 2. Person Plural die stimm**hafte** Bindung (*nous‿allons*, *vous‿allez*) zu beachten.

Zu **unbestimmter Artikel:** Beachten Sie, daß der weibliche unbestimmte Artikel nicht nasaliert wird [yn].

2 D a) Siehe Hinweis zu 1 D a).

b) Nach dem Herausschreiben auch lernen.

c) und d) Siehe Hinweis zu 1 D a).

e) und f) Zunächst jeden Satz einzeln mündlich bearbeiten und mit Hilfe des Schlüssels überprüfen. Erst wenn die Lösungen sicher sitzen, Übung zügig ohne Schlüssel durchführen (zweimal).

g) und h) Siehe Hinweis zu 1 D a).

i) Erst mündlich, dann schriftlich. **Sorgfältig** mit Hilfe des Schlüssels überprüfen. Mündlich zweimal wiederholen.

LEÇON 3

Vorher folgende Wiederholungen durchführen:
- Vokabeln zu 2 A kurz wiederholen.
- Lektion 2 A nochmal kurz anhören.
- Ausspracheübung 2 B mit Nachsprechen wiederholen.
- Übungen 2 D a), c), d), e), f), g), h) mündlich wiederholen. Bei Unsicherheit ggf. im Schlüssel nachsehen.

3 A Bei geschlossenem Lehrbuch 3 A dreimal anhören.

Die Sprecheinheiten nach dem unter 1 A für Cassetten bzw. Platten angegebenen Verfahren nacheinander abhören und nachsprechen (dreimal). Lektionstext anhören und dabei mitlesen (dreimal).

Text erst mündlich, dann schriftlich übersetzen. Dabei können Sie auch den Grammatikteil schon zu Hilfe nehmen, damit Sie sich schon etwas mit den behandelten Problemen vertraut machen. Nochmals den Text anhören und prüfen, ob er verstanden wird. Ggf. zwei- bis dreimal wiederholen.

3 B Ausspracheübung einmal aufmerksam anhören. Es werden folgende Laute behandelt:

[ʒ] ist ein stimm**hafter** Laut. Der Kehlkopf muß deutlich fühlbar vibrieren.

[ʃ] ist ein stimm**loser** Laut, der erfahrungsgemäß selten Schwierigkeiten bereitet. Er entspricht weitgehend dem deutschen *sch*.

[j] ist ein Laut, den es im Deutschen nicht gibt. Die deutsche Aussprache von „Taille" stimmt nicht mit der französischen überein. Gut zuhören und oft nachsprechen!

[ɥ] ist eine für Deutsche ebenfalls ungewohnte Lautfolge (etwa *üi*). Häufigster Fehler: statt richtig *üi* falsch *ui*. Bitte von Anfang an *üi* angewöhnen. Dabei bitte keine Pause zwischen *ü* und *i*. Die beiden Laute verschmelzen miteinander.

Die einzelnen Wörter und Übungssätze nun aufmerksam anhören und nachsprechen (viermal).

3 C Grammatik aufmerksam durchgehen!

Zu **Adjektiv:**
- *attributiv* ist ein Adjektiv, das direkt beim Substantiv steht;
- *prädikativ* ist ein Adjektiv, das durch „sein" (*être*) oder ähnliche Verbindungswörter (scheinen, wirken usw.) mit dem Substantiv verbunden ist.

Genus = Geschlecht
Numerus = Zahl (Einzahl – Mehrzahl)

Aussprache der Formen von *beau*:
beau [bo:], *belle* [bɛl], *beaux* [bo:], *belles* [bɛl].
Es ist also kein Unterschied zwischen Plural- und Singularform hörbar.

Zu **Verb „être" = sein:** Ausspracheschwierigkeit: *nous sommes* und *ils/elles sont* mit stimm**losem** *s* [nusɔm/ilsõ/ɛlsõ]; **aber:** *vous‿êtes* mit stimm**hafter** Bindung [vuzɛt].

3 D a) und b) Erst Satz für Satz umformen und Lösungen mit Hilfe des Schlüssels überprüfen. Dann zügig die ganze Übung ohne Schlüssel durchführen (zweimal).

c), d), e) Siehe Hinweis zu 1 D a).

f) Erst mündlich, dann schriftlich. **Sorgfältig** mit Hilfe des Schlüssels überprüfen. Mündlich zweimal wiederholen.

LEÇON 4

Vorher folgende Wiederholungen durchführen:
- Vokabeln zu 3 A kurz wiederholen.
- Lektion 3 A nochmals kurz anhören.
- Ausspracheübung 3 B mit Nachsprechen wiederholen.
- Übungen 3 D a), b), c), d), e) mündlich wiederholen. Bei Unsicherheit ggf. im Schlüssel nachsehen.

4 A Bei geschlossenem Lehrbuch Lektionstext 4 A dreimal anhören.

Die Sprecheinheiten nach dem in 1 A für Cassetten bzw. Platten angegebenen Verfahren nacheinander abhören und nachsprechen (dreimal).

Lektionstext anhören und dabei mitlesen (dreimal).

Text erst mündlich, dann schriftlich übersetzen. Dabei auch schon den Grammatikteil zu Hilfe nehmen. Nochmals den Text anhören und prüfen, ob er verstanden wird. Ggf. zwei- bis dreimal wiederholen.

4 B Ausspracheübung einmal aufmerksam anhören. Es werden folgende Laute behandelt:

[o] entspricht etwa dem deutschen *o* in **o**ben. Die Lippen sind dabei vorgewölbt und rund.

[ɔ] entspricht etwa dem deutschen *o* in **o**ft. Die Lippen sind breiter und offener.

Bei der Bindung (*liaison*) werden Endkonsonanten, die normalerweise stumm sind, zu einem nachfolgenden Vokal hinübergebunden. Hier kommt ein genereller Unterschied zwischen dem Deutschen und dem Französischen zum Ausdruck: Die deutsche Sprache macht gerne Pausen zwischen den einzelnen Wörtern (z. B.: hat ⋮ er, gibt ⋮ es). In der französischen Sprache dagegen bilden mehrere Wörter zusammen eine Sprecheinheit. Pausen werden nur nach ganzen Satzteilen eingelegt. Bitte üben Sie die Beispiele zur Bindung besonders intensiv!

Die einzelnen Wörter und Übungssätze nun aufmerksam anhören und nachsprechen (viermal).

4 C Grammatikteil wie immer intensiv durcharbeiten!

Zu **Verb „avoir" = haben:** Die Beachtung der stimm**haften** Bindung in den drei Pluralformen ist sehr wichtig, vor allem in der 3. Person Plural, da die Stimmhaftigkeit bzw. Stimmlosigkeit in der gesprochenen Sprache das einzige Unterscheidungsmerkmal zwischen *ils sont* [ilsõ] und *ils ont* [ilzõ] ist.

Zu **Possessivpronomen:** Etwas schwierig für Deutsche ist die Tatsache, daß sich – wie im Lehrbuch angegeben – das Possessivpronomen nach dem Substantiv richtet, bei dem es unmittelbar steht, nicht nach dem Besitzer. Das Possessivpronomen ist also im Französischen ein **Adjektiv**, das dem zugehörigen Substantiv angeglichen wird.

4 D a) und b) Erst Satz für Satz umformen und Lösungen mit Hilfe des Schlüssels überprüfen. Dann zügig die ganze Übung ohne Schlüssel durchführen (zweimal).

c) und d) Siehe Hinweis zu 1 D a).

e) Siehe Hinweis zu 4 D a) und b).

f) Erst mündlich, dann schriftlich übersetzen und mit den Lösungen im Schlüssel vergleichen.

LEÇON 5

Vorher folgende Wiederholungen durchführen:
- Vokabeln zu 4 A kurz wiederholen.
- Lektionstext 4 A nochmals kurz anhören.
- Ausspracheübung 4 B mit Nachsprechen wiederholen.
- Übungen 4 D a), b), c), d), e) mündlich wiederholen. Bei Unsicherheit im Schlüssel nachsehen.

5 A Wie bisherige Lektionstexte bearbeiten, also:
- Bei geschlossenem Lehrbuch dreimal anhören.
- Die Sprecheinheiten nach dem in 1 A für Cassetten bzw. Platten angegebenen Verfahren abhören und nachsprechen (dreimal).
- Lektionstext anhören und dabei mitlesen (dreimal).

Wie bisher immer Text erst mündlich, dann schriftlich ggf. unter Zuhilfenahme des Grammatikteils übersetzen. Den französischen Text nochmals anhören und prüfen, ob er verstanden wird. Ggf. zweimal wiederholen.

5 B Ausspracheübung einmal aufmerksam anhören. Es werden folgende Laute behandelt:

[œ] entspricht etwa dem deutschen *ö* in öfter. Die Lippen sind leicht vorgewölbt und etwas geöffnet.

[ø] entspricht etwa dem deutschen *ö* in schön. Die Lippen sind vorgewölbt und rund.

[u] entspricht etwa dem deutschen *u*. Zu beachten ist die Schreibweise dieses Lautes: immer *ou*.

[y] entspricht dem deutschen *ü*. Schreibweise: immer *u*.

Die einzelnen Wörter und Übungssätze nun aufmerksam anhören und nachsprechen (viermal).

5 C Wie üblich Grammatik intensiv durcharbeiten. Diese Anweisung wird von nun an vorausgesetzt und nicht jedesmal wiederholt.

Zu **Adverb:** Am Anfang haben wir Deutsche oft Schwierigkeiten, zu erkennen, wann ein Adverb und wann ein Adjektiv erforderlich ist. Das kommt daher, daß wir im Deutschen Adjektiv und Adverb in der Form im allgemeinen nicht unterscheiden:
Der Zug ist **schnell.** = Adjektiv
Der Zug fährt **schnell.** = Adverb
Eine kleine Eselsbrücke mag hier nützlich sein: Wenn man einsetzen kann: „Auf ..... Art und Weise", dann handelt es sich um ein Adverb. Also: Der Zug fährt auf schnelle Art und Weise.

Wer Englisch gelernt hat, kennt den Unterschied auch: Adverbien haben als Endung *-ly*. Dies entspricht der französischen Endung *-ment*.

Zu **betonte Personalpronomen:** Einige betonte Personalpronomen entsprechen in der Form den unbetonten Pronomen (z. B.: *nous*, *vous*); einige betonte Personalpronomen unterscheiden sich jedoch von den unbetonten (z. B.: *moi*, *toi*).

5 D Von jetzt an gelten für die drei Haupttypen von Übungen folgende generelle Anweisungen:

- **Umformübung** (dazu zählen auch Frage-Antwort-Übungen):
  - Satz für Satz mündlich umformen und mit der Lösung im Schlüssel vergleichen.
  - Übung ohne Hilfe des Schlüssels zweimal mündlich zügig wiederholen.
- **Einsetzübung:**
  - Lücken im Text nicht füllen, damit die Übung zur Wiederholung sinnvoll bleibt. Lösungen auf ein Blatt Papier schreiben und mit dem Schlüssel vergleichen.
  - Übung zweimal mündlich wiederholen.
- **Übersetzungsübung:**
  - Mündlich durcharbeiten.
  - Schriftlich übersetzen.
  - Mit Lösungen im Schlüssel **genau** vergleichen.

Diese Generalanweisungen werden von jetzt an nicht mehr wiederholt. Bitte halten Sie sich trotzdem daran. Sie können im Zweifelsfall ja jederzeit unter 5 D nachsehen.

a) und b) Umformübungen

c) Einsetzübung

d) Umformübung

e) Übung schriftlich durchführen und mit den Lösungen im Schlüssel vergleichen.

f) Übersetzungsübung

LEÇON 6

Vorher folgende Wiederholungen durchführen:
- Vokabeln zu 5 A wiederholen.
- Lektionstext 5 A anhören.
- Ausspracheübung 5 B mit Nachsprechen wiederholen.
- Übungen 5 D a), b), c), d) mündlich wiederholen.

6 A Wie bisherige Lektionstexte bearbeiten. Im Zweifelsfall Anweisungen unter 5 A nachlesen.

Wie bisher mündlich, dann schriftlich mit Hilfe der Wortliste und des Grammatikteils übersetzen, schließlich Originaltext mindestens zweimal anhören und Verständnis prüfen.

6 B Ausspracheübung einmal aufmerksam anhören. Es werden folgende Laute behandelt:

[p] ist nicht identisch mit dem deutschen *p*. Es liegt etwa zwischen dem deutschen *p* und *b*. Es darf nicht „aspiriert“ ausgesprochen werden, d. h. nach diesem Laut darf keine Luft aus dem Mund strömen. Probe: Halten Sie eine Kerzenflamme in einer Entfernung von etwa 5 cm vor den Mund und sagen Sie: *papier*, *Paris*, *patron*. Die Flamme darf sich nur wenig bewegen.

[b] entspricht etwa dem deutschen *b*.

[f] entspricht dem deutschen *f*.

[v] ist ein sehr weicher Laut, bei dem die Unterlippe an den Schneidezähnen sehr leicht anliegt. Bitte genau hinhören und genau nachsprechen.

Die einzelnen Wörter und Übungen nun aufmerksam anhören und nachsprechen (viermal).

6 C Zu **Verben:** Bitte alle Konjugationsformen sehr gut lernen, am besten wieder mit kleinen Beispielsätzen, wie:
Je finis l'analyse.
Tu finis l'analyse. usw.
oder:
Je reçois un télex.
Tu reçois un télex. usw.
Es ist dringend anzuraten, nur mit solchen Sätzen zu üben, nicht die Verbformen allein. (Begründung siehe 2 C.)
Beachten Sie die Stimm**losigkeit** der Stammerweiterung *-iss-*.

Zu **Perfekt:** Die Veränderlichkeit des Partizips bei den mit *être* verbundenen Verben ist für Deutsche etwas schwer begreifbar. Diese Partizipien werden behandelt wie **prädikative Adjektive,** die ja im Französischen – abweichend vom Deutschen – an das Subjekt angeglichen werden (siehe 3 C).

6 D a) – d) Umformübungen

e) Wie angegeben durchführen und mit dem Schlüssel vergleichen.

f) Übersetzungsübung

LEÇON 7

Vorher folgende Wiederholungen durchführen:
- Vokabeln zu 6 A kurz wiederholen.
- Lektionstext 6 A anhören.
- Ausspracheübung 6 B mit Nachsprechen wiederholen.
- Übungen 6 D a), b), c), d) mündlich wiederholen.

7 A Wie bisherige Lektionstexte bearbeiten. Im Zweifelsfall Anweisungen unter 5 A nachlesen.

Erst mündlich, dann schriftlich mit Hilfe der Wortliste und des Grammatikteils übersetzen, schließlich Originaltext mindestens zweimal anhören und Verständnis prüfen.

7 B Ausspracheübung einmal aufmerksam anhören. Es werden folgende Laute behandelt:

[g] entspricht etwa dem deutschen *g*.

Bei französisch *k* ist zu beachten, daß es unaspiriert, d. h. ohne nachfolgenden Hauchlaut gesprochen wird.

[ɲ] ist ein Laut, den es im Deutschen nicht gibt. Er wird wie *nj* ausgesprochen. Bitte gut hinhören und oft und genau nachsprechen.

Nun die einzelnen Wörter und Übungssätze aufmerksam anhören und nachsprechen (viermal).

7 C Zu **unregelmäßiges Verb „prendre“:** Unregelmäßige Verben werden besonders häufig verwendet und müssen deshalb stets intensiv gelernt werden, und zwar wieder mit Beispielsätzen. Nicht die Verbformen allein einpauken!
Beachten Sie dabei, daß die Singularformen einen Nasal [ɑ̃] haben, die Pluralformen dagegen nicht.

Bei einigen unregelmäßigen Verben hat das Partizip eine **hörbare** weibliche Form, so auch *prendre*: *pris* [pri], *prise* [pri:z].

7 D a) Einsetzübung

b) – d) Umformübungen

e) Übung schriftlich durchführen und mit den Lösungen im Schlüssel vergleichen.

f) Übersetzungsübung

LEÇON 8

Vorher folgende Wiederholungen durchführen:
- Vokabeln zu 7 A kurz wiederholen.
- Lektionstext 7 A anhören.
- Ausspracheübung 7 B mit Nachsprechen wiederholen.
- Übungen 7 D a), b), c), d) mündlich wiederholen.

8 A Wie bisher Lektionstext bearbeiten. Im Zweifelsfall Anweisungen unter 5 A nachlesen.

Erst mündlich, dann schriftlich mit Hilfe der Wortliste und des Grammatikteils übersetzen, schließlich Originaltext mindestens zweimal anhören und Verständnis prüfen.

8 B Ausspracheübung einmal aufmerksam anhören. Es werden folgende Laute behandelt:

[d] entspricht nicht ganz dem deutschen *d*. Es wird etwas weicher und stimmhafter ausgesprochen als das deutsche *d*.

[t] ist nicht identisch mit dem deutschen *t*. Es liegt etwa zwischen dem deutschen *t* und *d*. Für das französische *t* gilt das gleiche wie für das französische *p* (siehe 6 B): Es darf im Anschluß an den Laut kein Luftstrom entweichen. Kerzenprobe durchführen!

Die Wörter und Übungssätze nun aufmerksam anhören und nachsprechen (viermal).

8 C Zu **Teilungsartikel:** Dieses Kapitel der französischen Grammatik macht zunächst oft Schwierigkeiten, weil wir im Deutschen ja keinen solchen Teilungsartikel haben. Wie der Name sagt, handelt es sich dabei stets um den (mengenmäßig nicht genau bezeichneten) Teil eines Ganzen. Zum besseren Verständnis sei hier noch folgende zusammenfassende Erklärung gegeben, die vor allem die Mengenvorstellung noch eingehender erläutern soll:

– bestimmter Artikel:	**keine** Mengenvorstellung
– Teilungsartikel:	**Teil** eines Ganzen, **ohne** Mengenangabe
– nur *de*:	nach **Mengen**angaben
– nichts:	nach Zahlwörtern und Mengenadjektiven

Zu **Verben auf -yer:**
Stammbetont sind im Präsens immer: 1./2./3. Person Singular und 3. Person Plural.
Endungsbetont sind im Präsens immer: 1./2. Person Plural.
Hier noch die Lautschrift der Konjugationsformen von *payer*, damit Sie sehen, daß das *i* wirklich stumm ist:

je paie	[ʒəpɛ]	*nous payons*	[nupɛjõ]
tu paies	[typɛ]	*vous payez*	[vupɛje]
il paie	[ilpɛ]	*ils paient*	[ilpɛ]
payé	[pɛje]		

8 D a) und b) Umformübungen

c) und d) Einsetzübungen

e) Übersetzungsübung

LEÇON 9

Vorher folgende Wiederholungen durchführen:
- Vokabeln zu 8 A kurz wiederholen.
- Lektionstext 8 A anhören.
- Ausspracheübung 8 B mit Nachsprechen wiederholen.
- Übungen 8 D a), b), c), d) mündlich wiederholen. Bei Unsicherheit ggf. im Schlüssel nachsehen.

9 A Wie bisherige Lektionstexte bearbeiten. Im Zweifelsfall in Anweisungen unter 5 A nachsehen.

Erst mündlich, dann schriftlich mit Hilfe der Wortliste und des Grammatikteils übersetzen, schließlich Originaltext mindestens zweimal anhören und Verständnis prüfen.

9 B Ausspracheübung erst einmal aufmerksam anhören, dann mit Nachsprechen viermal durcharbeiten.

9 C Zu **Personalpronomen als Objekt:** Dem deutschen Akkusativ (Wenfall) entspricht das französische **direkte Objekt**. Es heißt direkt, weil keine Präposition zwischen Verb und Objekt eingeschoben ist:

trouver **qn** (= *quelqu'un*): **jdn** finden
trouver **qch** (= *quelque chose*): **etw.** finden

Dem deutschen Dativ (Wemfall) und Genitiv (Wesfall) entspricht das französische **indirekte Objekt**. Es heißt indirekt, weil zwischen Verb und Objekt eine Präposition (hier *à*) eingeschoben ist:

dire **à qn** : **jdm** sagen

Zu **demander:** Sehen Sie sich vor allem den dritten und vierten Ausdruck an: *demander qch à qn* und *demander à qn de faire qch.* Die beiden Konstruktionen sind anders als die entsprechenden Sätze im Deutschen. Nachstehend erhalten Sie die deutschen Übersetzungen der französischen Beispielsätze (rechte Spalte):
Man verlangt Herrn Martin.
Ich verlange (erbitte, beantrage) mehr Geld.
Man fragt uns nicht nach unserer Ansicht.
Sie bittet ihren Mann, daß er ihr mehr Haushaltsgeld gibt (= den Haushalt erhöht).

9 D a) – d) Umformübungen

e) Übung erst schriftlich durchführen und Lösungen mit dem Schlüssel vergleichen. Dann mündlich zweimal wiederholen.

f) Übersetzungsübung.

LEÇON 10 (Übungs- und Testlektion)

Vermeiden Sie es, die Übungen alle auf einmal zu machen. Am sinnvollsten ist eine Verteilung auf drei Tage:
1. Tag: Übungen 1–3.
2. Tag: Übungen 4–5.
3. Tag: Übung 6.

Alle Übungen sind **schriftlich** durchzuführen und sollen nach einer Pause von einigen Tagen mündlich mindestens zweimal wiederholt werden.

Einzelhinweise zu einigen Übungen: (Nicht aufgeführte Übungen bieten keine besonderen Schwierigkeiten.)

1. a) – c) Bitte schreiben Sie Ihre Lösungen wieder auf ein Blatt Papier, damit die Übungen selbst zur Wiederholung geeignet bleiben.

2. a) Bei einem der Sätze müssen Sie die Angleichung des Adjektivs in der Satzaussage an das Subjekt beachten. Welcher Satz das ist, wird nicht verraten!

2. c) Denken Sie bei den mit *être* verbundenen Verben an die Angleichung des Partizips.

4. a) Beachten Sie, daß nach der entsprechenden Form von *aller* das Verb im Infinitiv steht. Beispiel: *Mireille entre dans le supermarché. – Mireille va entr***er** *dans le supermarché.*

4. b) Wie das Muster zeigt, ist hier immer die Höflichkeitsform zu setzen.

5. c) Das Possessivpronomen auf das Subjekt bezogen bedeutet beispielsweise, daß es im Deutschen heißen müßte: **Ich** habe **meinen** Wagen gefunden, **du** hast **deinen** Wagen gefunden, **er** hat **seinen** Wagen gefunden usw.

6. a) Die kleinen Zahlen zu manchen in Klammern zusammengefaßten Wortgruppen geben die im französischen Satz zu beachtende Reihenfolge an.

Nun haben Sie die Anfängerstufe hinter sich und Sie können sich zu Ihrer Ausdauer beglückwünschen. Sie sollten jetzt, nach Lektion 10, auf alle Fälle eine Pause von 1–2 Wochen einlegen. Kurze Wiederholungsübungen (etwa zweimal wöchentlich je eine halbe Stunde) – besonders anhand der Übungs- und Testlektion 10 – sollten allerdings eingeschoben werden.

B. LEKTION 11–20

Nachdem Sie nun einen Grundstock an Grammatik und Wortschatz erworben haben, mit der Aussprache weitgehend vertraut sind und ganz allgemein schon ein gewisses Verständnis für die französische Sprache haben, wollen wir das Verfahren für den Mittelteil (Lektion 11–20) etwas ändern. Für die Lektionen 11–19 gehen Sie bitte nach folgenden **Generalanweisungen** vor:

- Lektionstext zweimal aufmerksam anhören und versuchen, möglichst viel zu verstehen. (Das Lehrbuch bleibt dabei wieder geschlossen.)
- Wortliste aufmerksam durchgehen und die Wortbedeutungen etwas merken.
- Lektionstext erneut zweimal anhören. Sie werden jetzt wesentlich mehr verstehen.
- Lektionstext noch zweimal anhören, dabei mitlesen.
- Mit Hilfe der Wortliste und des Grammatikteils eine schriftliche Übersetzung ins Deutsche anfertigen. Wörter, die nicht in der Wortliste stehen, waren in Teil A schon einmal da und können im alphabetischen Wortregister des Lehrbuchs oder in Ihrem zweisprachigen Wörterbuch nachgesehen werden.
- Wortliste der betreffenden Lektion nochmals durchgehen und Wörter definitiv lernen.
- Lektionstext in Sprecheinheiten zweimal abspielen und jede Sprecheinheit nachsprechen.
- Lektionstext zweimal laut lesen.

Den Grammatikteil jeweils intensiv durcharbeiten! Zur Grammatik jedes Kapitels werden gesondert zusätzliche Erklärungen gegeben, soweit sie zum besseren Verständnis für Selbstlerner erforderlich sind.

Die Übungen sind – wenn nichts anderes vermerkt ist – nach den Anweisungen unter 5 D, die Sie ja sicher inzwischen genau kennen, durchzuführen. Im Zweifelsfall bitte unter 5 D nachschlagen.

LEÇON 11

11 A Siehe Generalanweisungen (S. 17).

11 B Zu **Verben:** Die vier Konjugationsgruppen (Verben auf *-er*/*-re*/*-ir*/*-oir*) haben Sie in Teil A schon kennengelernt. In vorliegendem Kapitel (11 B) werden nun einige Besonderheiten angegeben, die bei verschiedenen Untergruppen auftreten. Es handelt sich dabei also nicht um unregelmäßige Verben im eigentlichen Sinn. Bitte lernen Sie die Abweichungen zusammen mit allen dazu angegebenen Verben. Wenn Sie die angegebenen Konjugationen lernen, beachten Sie bitte wieder, daß die Endkonsonanten (*s*, *t*, *z*) nicht gesprochen werden. Sie werden nur jeweils hörbar, wenn ein *e* angefügt wird (z. B.: *ouverte*). Das *e* ist dann jedoch wieder nicht hörbar.

Zu **unregelmäßiges Verb „pouvoir“:** Auch das Endungs-*x* ist nicht hörbar!

Zu **Teilungsartikel:** Bevor Sie diesen Abschnitt durcharbeiten, wiederholen Sie bitte Kapitel 8 C: „Teilungsartikel – bestimmter Artikel“.

11 C a) Schriftlich durchführen und mit dem Schlüssel vergleichen.

b) Umformübung

c) und d) Einsetzübungen

e) Übersetzungsübung

LEÇON 12

12 A Siehe Generalanweisungen (S. 17).

12 B Zu **Futur:** Die von der deutschen Konstruktion mit Hilfsverb (ich **werde** kommen) abweichende französische Futurbildung mit Endungen bedarf einiger Aufmerksamkeit. Zur rascheren Gewöhnung übersetzen Sie bitte schriftlich folgende Formen ins Französische:
er wird erklären, wir werden erhalten, sie wird überzeugen, es wird dienen (dazu, daß), ihr werdet erklären, sie werden erhalten, ich werde erhalten. Die Lösungen überprüfen Sie nun bitte anhand des angegebenen Konjugationsschemas (12 B_1).

Zu **Relativpronomen:** Hier die Übersetzungen der angegebenen Beispiele:
Linke Spalte: ein Vorarbeiter, der gerne über Politik spricht; eine Frau, die gerne über Politik spricht; die Erzeugnisse, die exportiert werden; der Handel, der zunimmt (ansteigt);
rechte Spalte: die Reise, die der Präsident unternehmen wird; die Folge, die dies haben wird; die Erzeugnisse, die wir exportieren; das Erzeugnis, das er gekauft hat.

12 C a) und b) Umformübungen

c) Übung schriftlich durchführen und mit den Lösungen im Schlüssel vergleichen.

d) Einsetzübung

e) Übersetzungsübung

LEÇON 13

13 A Siehe Generalanweisungen (S. 17).

13 B Zu **Zahlen:** Zahlen werden im täglichen Leben ständig gebraucht. Deshalb ist es sinnvoll, sie besonders gut zu lernen. Sie sollten sie auch täglich etwas üben. Lesen Sie z. B. alle Telefonnummern, die Ihnen unterkommen, in Zahlenpaaren auf französisch.

13 C a) Zur Kontrolle zunächst Zahl für Zahl sprechen und mit dem Schlüssel vergleichen. Dann vier- bis fünfmal ohne Zuhilfenahme des Schlüssels wiederholen.

b) Schreiben Sie zunächst auf einem Blatt Papier für jeden Ausdruck auf, ob der Endkonsonant gebunden wird oder nicht. Vergleichen Sie dann mit dem Schlüssel. Dann Übung dreimal mündlich wiederholen.

c) Erst Ausdruck für Ausdruck laut aussprechen und mit dem Schlüssel vergleichen. Dann zweimal mündlich zügig wiederholen.

d) Umformübung

e) Einsetzübung

f) und g) Übersetzungsübungen

LEÇON 14

14 A Siehe Generalanweisungen (S. 17).

14 B Zu **Frageform:** Die Verwendung der verschiedenen Frageformen ist im allgemeinen eine Frage des Stilniveaus. Am häufigsten ist in der Umgangssprache die durch den Tonfall ausgedrückte Frage.

Zu **Verschiedenes, a):** Bitte prägen Sie sich gut ein, daß *visiter* = „besuchen" nur für Dinge, Städte, Museen verwendet wird. Es ist ein häufiger und typischer Fehler der Deutschen, *visiter* auf Personen zu beziehen. Das bedeutet dann „untersuchen" und wirkt meist recht komisch.

14 C a) und b) Umformübungen

c) Übung erst schriftlich durchführen und mit dem Schlüssel vergleichen. Dann mündlich zweimal wiederholen.

d) 1. Übung zunächst schriftlich durchführen und mit dem Schlüssel vergleichen.
2. Wiederholen Sie diese Übung aus eigener Initiative mehrere Male im Abstand von einigen Tagen.

e) Umformübung

f) Übersetzungsübung

LEÇON 15

15 A Siehe Generalanweisungen (S. 17).

15 B Zu **Imperfekt:** Der Imperfekt-Stamm ist für alle Personen gleich, auch bei den unregelmäßigen Verben.

Der Zeitengebrauch ist im Französischen generell strengeren Regeln unterworfen als im Deutschen (wo – zumindest in der Umgangssprache – eher der regionale Gebrauch bestimmend ist als Grammatikregeln). Durchdenken Sie deshalb bitte die Gegenüberstellung Imperfekt/Perfekt genau und eingehend.

15 C a) Übung schriftlich durchführen und mit dem Schlüssel vergleichen.

b) – d) Umformübungen

e) Einsetzübung

f) Übersetzungsübung

LEÇON 16

16 A Siehe Generalanweisungen (S. 17).

16 B Zu **Veränderlichkeit des Partizips Perfekt:** Bei den mit *être* verbundenen Verben wenden Sie für die Veränderung des Partizips einfach die Regeln über die Veränderlichkeit des prädikativen Adjektivs (siehe Kapitel 3 C) an. (Ausnahmen: alle reflexiven Verben.)

Bei Partizipien, die mit *avoir* verbunden sind, prüfen Sie bitte immer als erstes, ob ein direktes Objekt = Akkusativobjekt (Wenfall) **vor** dem Partizip steht. Nur wenn dies der Fall ist, brauchen Sie an die Veränderung des Partizips zu denken.

Zu den **reflexiven Verben:** Es ist in der Praxis etwas schwierig, zu erkennen, ob *se* (oder *s'*) Dativ oder Akkusativ ist. Bei den Verben, die sowohl nicht reflexiv als auch reflexiv vorkommen (genau wie im Deutschen z. B. etwas/jemanden waschen – sich waschen), kann man aus der nicht reflexiven Grundform erkennen, in welchem Fall (Kasus) *se* steht. Das Ableitungsverfahren ist allerdings etwas umständlich, und man muß die Rektion der Verben kennen, d. h. wissen, in welchem Fall das Objekt oder die Objekte stehen.
Bitte beachten Sie auch genau, daß alle reflexiven Verben im Französischen immer mit *être* verbunden werden: *Je me* **suis** *lavé.* = Ich **habe** mich gewaschen.

16 C a) und b) Übungen erst schriftlich durchführen und mit den Lösungen im Schlüssel vergleichen. Dann zweimal mündlich wiederholen.

c) – e) Umformübungen

f) Übersetzungsübung

LEÇON 17

17 A Siehe Generalanweisungen (S. 17).

17 B Zu **Fragewörter:** Zur rascheren Gewöhnung an die zum Teil für Deutsche etwas komplizierten Formen empfiehlt sich folgende Übung:
- Übersetzen Sie alle in der Grammatikübersicht zu den Fragewörtern angegebenen französischen Beispielsätze schriftlich ins Deutsche.
- Machen Sie zunächst schriftlich, dann mündlich die Rückübersetzung der deutschen Sätze ins Französische.

– Wiederholen Sie den Übersetzungsvorgang französisch/deutsch – deutsch/französisch einige Male im Abstand von einigen Tagen.

17 C a) und b) Umformübungen

c) Wie angegeben erst schriftlich übersetzen und mit dem Schlüssel vergleichen, dann mündlich zweimal wiederholen.

d) – g) Umformübungen

f) Übersetzungsübung

LEÇON 18

18 A Siehe Generalanweisungen (S. 17).

18 B Zu **Konditional:** Bevor Sie dieses Grammatikkapitel angehen, wiederholen Sie bitte kurz das Futur (Kapitel 12 B), da die meisten dort gegebenen Hinweise auch für den Konditional gelten.

18 C a) und b) Umformübungen

c) Übung schriftlich durchführen und mit dem Schlüssel vergleichen.

d) und e) Umformübungen

f) Übersetzungsübung

LEÇON 19

19 A Siehe Generalanweisungen (S. 17).

19 B Zu **Zahlen:** Bitte wieder gut lernen und täglich üben (z. B. an Autonummern und dgl.).

19 C a) – c) Umformübungen

d) Erst Zahl für Zahl lesen und mit dem Schlüssel vergleichen. Dann mündlich viermal wiederholen. Bei Unsicherheit vorsichtshalber nachsehen!

e) Übersetzungsübung

LEÇON 20 (Übungs- und Testlektion)

Vermeiden Sie es, die Übungen alle auf einmal zu machen. Am sinnvollsten ist eine Verteilung auf 4 Tage:
1. Tag: Übung 1.
2. Tag: Übungen 2–3.
3. Tag: Übungen 4–5.
4. Tag: Übung 6.

Alle Übungen sind **schriftlich** durchzuführen und sollen nach einer Pause von einigen Tagen mündlich mindestens zweimal wiederholt werden.

Einzelhinweise zu einigen Übungen: (Nicht aufgeführte Übungen bieten keine besonderen Schwierigkeiten.)

1. b) Bei den Antworten bringen Sie in der mündlichen Wiederholung durch leichte Betonung zum Ausdruck, daß die Feststellung nur noch für die Vergangenheit Gültigkeit hat.

1. c) Beispielsatz: *Vendredi prochain, Madame Annot aura sa première leçon au volant d'une voiture.*

1. d) Beispielsatz: *S'il était utile, je passerais la soirée chez Yves.*

1. e) Beachten Sie die Partizipveränderlichkeit, wenn das direkte Objekt weiblich ist oder im Plural steht.

2. a) Wenn Sie hier noch unsicher sind, dann fragen Sie jeweils nach dem Satzteil, auf den sich das Relativpronomen bezieht. Beispiel: **Wen oder was** will M. Beriot kaufen? (Also: Akkusativ = *que*); **wer** ist dargestellt? (Also: Nominativ = *qui*).

Nun haben Sie Stufe B auch erfolgreich abgeschlossen. Herzlichen Glückwunsch zu Ihrer Energie!

Sie sollten jetzt wieder eine Pause von 1–2 Wochen einlegen, in der höchstens kurze Wiederholungen – besonders anhand der Übungs- und Testlektion 20 – eingeschoben werden.

C. LEKTION 21–30

Sie sind hiermit an der dritten Stufe des Lehrwerks angelangt. Nun soll das Verfahren wieder Ihrem höheren Kenntnisstand angepaßt werden. Für die Lektionstexte 21–29 gelten folgende **Generalanweisungen:**

- Lektionstext bei geschlossenem Lehrbuch einmal aufmerksam anhören.
- Lektionstext nochmal abhören, dabei mitlesen.
- Lektionstext nochmal ohne Mitlesen anhören und versuchen, möglichst viel zu verstehen.
- Mit Hilfe der Wortliste und des Grammatikteils schriftliche Übersetzung anfertigen, dabei die Bedeutung der Wörter und Ausdrücke lernen.
- Die für Sie schwer zu merkenden Wörter herausschreiben, um sie an mehreren aufeinanderfolgenden Tagen aufmerksam durchzulesen.
- Lektionstext in Sprecheinheiten zweimal abspielen und nachsprechen.
- Lektionstext zweimal laut lesen.
- Lektionstext nochmal anhören und genau mitdenken.

Grammatikteil jeweils intensiv durcharbeiten. Zur Grammatik werden wieder gesondert zusätzliche Erklärungen gegeben, soweit dies notwendig ist.

Für die Übungen gelten – wenn nichts anderes vermerkt ist – weiterhin die Anweisungen unter 5 D.

LEÇON 21

21 A Siehe Generalanweisungen (S. 23).

21 B Zu **Partizip Präsens:** Konstruktionen mit dem Partizip Präsens sind – wie Sie ja auch aus dem Lektionstext ersehen – im Französischen häufiger als im Deutschen, wo Sätze mit beispielsweise „bleibend, beendend" usw. doch recht selten sind. Es empfiehlt sich, bei einer Partizip-Präsens-Konstruktion immer die drei angegebenen Möglichkeiten (kausal, relativ, Gleichzeitigkeit) durchzuprobieren; man findet dabei sehr rasch heraus, welche von den drei Bedeutungen im jeweiligen Zusammenhang sinnvoll ist.

21 C a) – c) Übungen schriftlich durchführen und mit dem Schlüssel vergleichen.

d) Halten Sie schriftlich fest, ob es sich jeweils um ein Adjektiv oder ein Adverb handelt und vergleichen Sie Ihre Lösung mit der des Schlüssels. Dann Übung als Einsetzübung durchführen.

e) Umformübung

f) Übersetzungsübung

LEÇON 22

22 A Siehe Generalanweisungen (S. 23).

22 B Zu **subjonctif:** Diese Aussageweise (Modus) kann nicht mit dem deutschen Konjunktiv verglichen werden. Der *subjonctif* richtet sich nach ganz anderen Kriterien als der Konjunktiv im Deutschen. So steht z. B. in der französischen indirekten Rede kein *subjonctif.*

Bitte halten Sie sich immer vor Augen, daß das Hauptkriterium des französischen *subjonctif* die persönliche (subjektive) Auffassung ist. Allerdings kann man nicht willkürlich in die Verben eine subjektive oder objektive Auffassung hineindenken. So sind die Verben des Sagens und Denkens (wie: glauben, denken, meinen, sagen, behaupten, vorbringen, erklären usw.) für den Franzosen Verben der objektiven Aussage, die den Indikativ (Wirklichkeitsform) in den davon abhängigen Nebensätzen verlangen. Die Kategorien der Verben, die als subjektive Aussage gelten, sind genau festgelegt (wie im Lehrbuch angegeben: Gefühlsregung, Zweifel, Zwang usw.).

Abschnitt 22 B_2 über den Gebrauch von Indikativ und *subjonctif* sollten Sie **sehr** intensiv durcharbeiten und im Abstand von mehreren Tagen immer wieder aufmerksam lesen.

22 C a) und b) Übungen schriftlich durchführen und mit dem Schlüssel **genau** vergleichen.

c) – e) Übungen erst schriftlich durchführen und mit dem Schlüssel vergleichen. Dann erst als Umformübung mündlich durcharbeiten.

f) Übersetzungsübung

LEÇON 23

23 A Siehe Generalanweisungen (S. 23); außerdem ist zu beachten:

Der Lektionstext gibt zwei Beispiele einfacher Geschäftsbriefe. Da im Französischen – genau wie im Deutschen – die Handelskorrespondenz sehr feste sprachliche Klischees hat, sollten Sie sich die für viele Briefvorgänge anwendbaren Wendungen dieser Briefe (vor allem jeweils Anfang und Schluß) gut einprägen.

23 B Zu **subjonctif nach anderen Konjunktionen:** Die Liste dieser Konjunktionen ist nicht vollständig. Es ist jedoch auf dieser Stufe nicht sinnvoll, die zum Teil selteneren Konjunktionen vollzählig anzugeben.

23 C a) Übung schriftlich durchführen und mit dem Schlüssel vergleichen.

b) Übung schriftlich auf gesondertem Blatt durchführen und mit dem Schlüssel vergleichen. Am folgenden Tag mündlich zweimal wiederholen.

c) und d) Übersetzungsübungen

LEÇON 24

24 A Siehe Generalanweisungen (S. 23).

24 B Zu **Personalpronomen:** Es nützt wenig, wenn man die kombinierbaren Gruppen im Kopf hat, die einzelnen Kombinationen jedoch nicht fest im Ohr hat. Deshalb sollten Sie alle bildbaren Kombinationen auswendig lernen (auch wenn das etwas stur ist); diese Kombinationen sind:

me le	*me la*	*me les*	*le lui*	*le leur*
te le	*te la*	*te les*	*la lui*	*la leur*
se le	*se la*	*se les*	*les lui*	*les leur*
nous le	*nous la*	*nous les*		
vous le	*vous la*	*vous les*		
se le	*se la*	*se les*		

Am besten lesen Sie diese Liste täglich dreimal laut durch, und zwar mindestens eine Woche lang.

Die Stellung der Pronomen in Infinitiv-Konstruktionen ist für uns Deutsche schwierig. Zunächst einige Worte zur regelmäßigen Konstruktion (d. h. Personalpronomen unmittelbar **vor** dem **Infinitiv**): Diese Konstruktion ist ähnlich wie im Deutschen: Ich möchte **ihn** sehen.

Schwierig wird die Sache bei den Ausnahmen. Vergleichen Sie folgende Sätze:

Il les voit venir. = Er sieht sie kommen.
Je les fais venir. = Ich lasse sie kommen.
Je les laisse jouer. = Ich lasse sie spielen.
Elle l'entend venir. = Sie hört ihn (oder sie) kommen.

24 C a) – e) Umformübungen. Achten Sie bei Sätzen, bei denen das Personalpronomen ein vorangestelltes direktes Objekt (Akkusativobjekt) ist, auf die eventuelle Veränderlichkeit des Partizips.

f) Übung erst schriftlich durchführen und mit dem Schlüssel vergleichen, dann mündlich zweimal wiederholen.

g) Umformübung

h) Übung schriftlich durchführen und mit dem Schlüssel vergleichen.

i) Übersetzungsübung

LEÇON 25

25 A Siehe Generalanweisungen (S. 23).

25 B Zu **Imperativ:** Die Pronomen beim Imperativ entsprechen zum Teil den betonten Pronomen (kurz in Kapitel 5 C_3 nachschlagen!). **Vorsicht** aber: In der 3. Person Singular und Plural wird jeweils das unbetonte Pronomen (rasch in Kapitel 9 C_1 nachschlagen!) verwendet.

Zu **substantivisches Possessivpronomen:** Zu unterscheiden ist die Aussprache von:
notre [nɔtr] und *nôtre* [no:tr]
votre [vɔtr] und *vôtre* [vo:tr]
Im Zweifelsfall sehen Sie bitte rasch die Aussprache von [ɔ] und [o] in Kapitel 4 B nach.

25 C a) – d) Umformübungen

e) Übersetzungsübung

LEÇON 26

26 A Siehe Generalanweisungen (S. 23).

26 B Zu **Relativpronomen:** Bitte wiederholen Sie zunächst kurz die Relativpronomen *qui* und *que* (Kapitel 12 B_2). Zum neutralen *ce qui/ce que*: Diese Pronomen beziehen sich nicht auf ein Wort, sondern auf einen ganzen Gedanken. Zu *c'est ... qui*: Bitte gut merken, daß sich das folgende Verb nach der Person richtet. (In der entsprechenden deutschen Konstruktion richtet es sich nach dem Relativpronomen.) Beispiel:
C'est moi qui **ai** *averti la police.* = Ich bin es, der die Polizei verständigt **hat.**
C'est moi qui **suis** *venu.* = Ich bin es, der gekommen **ist.**
Zum Relativadverb *où*: Im etwas nachlässigen Umgangsdeutsch haben wir die gleiche Konstruktion: „Die Kreuzung, wo ich ihn getroffen habe, ...“

26 C a) Einsetzübung

b) und c) Übungen schriftlich durchführen und mit dem Schlüssel vergleichen, dann mündlich zweimal wiederholen.

d) und e) Übersetzungsübungen

LEÇON 27

27 A Siehe Generalanweisungen (S. 23).

27 B Zu **Vergleich:** Typischer Fehler der Deutschen: „als“ ist nicht mit *comme*, sondern mit *que* zu übersetzen.

Zu **Verschiedenes,** b): Vergleichen Sie die deutsche Konstruktion: „Es **gibt** Leute, die ...“

27 C a) Einsetzübung

b) Übung erst schriftlich durchführen und mit dem Schlüssel vergleichen, dann mündlich zweimal wiederholen. Am folgenden Tag nochmal wiederholen.

c) Übung erst schriftlich durchführen und mit dem Schlüssel vergleichen, dann mündlich zweimal wiederholen.

d) Übersetzungsübung

LEÇON 28

28 A Siehe Generalanweisungen (S. 23).

28 B Zu **Substantiv:** Bitte lernen Sie die angegebenen Beispiele und Ländernamen auch als Vokabeln.

28 C a) und b) mündliche Übung, zweimal wiederholen.

c) Umformübung

d) mündliche Übung

e) und f) Umformübungen

g) Übersetzungsübung

LEÇON 29

29 A Siehe Generalanweisungen (S. 23).

29 B Zu **Gebrauch von „avoir“:** Bei den Verben der Bewegungs**art** ist Art unterstrichen, um diese Verben deutlich von denen der Bewegungs**richtung** zu unterscheiden, die auch im Französischen mit *être* verbunden werden, z. B.:
Elle est arrivée. Il est allé à Paris.

29 C a) Wie angegeben durchführen und Lösungen mit dem Schlüssel vergleichen. Dann nochmal mündlich wiederholen.

b) Wie angegeben durchführen und mit dem Schlüssel vergleichen.

c) Umformübung

d) und e) Übersetzungsübungen

LEÇON 30 (Übungs- und Testlektion)

Übungen wieder auf drei Tage verteilen:
1. Tag: Übungen 1–2.
2. Tag: Übungen 3–4.
3. Tag: Übungen 5–6.

Alle Übungen sind **schriftlich** durchzuführen und sollen nach einer Pause von einigen Tagen mündlich mindestens zweimal wiederholt werden.

Einzelhinweise zu einigen Übungen:
3. a) – c) Achten Sie wieder auf die eventuelle Angleichung des Partizips.

4. a) Bitte prüfen Sie jeweils genau, ob das einfache Relativpronomen (*qui*, *que*, *dont*) oder *lequel* (bzw. die entsprechende Form) gesetzt werden muß.

Nun haben Sie die Hauptarbeit hinter sich und haben eine Pause redlich verdient. Gönnen Sie sich zwei Wochen, in denen Sie vielleicht einmal einen französischen Film ansehen oder versuchen, mit Hilfe des Wörterbuchs einen kurzen aktuellen Artikel aus einer französischen Tageszeitung zu übersetzen.

D. LEKTION 31–35

Dieser letzte Teil D bietet Ihnen fünf Texte aus der französischen Literatur, davon einen Geschichtstext, drei Romantexte und einen Wirtschaftstext. Das ist nur ein kurzer, erster Blick in die französische Literatur. Aber nach Abschluß dieses Buches – und auch jetzt schon – sind Sie fortgeschritten genug, um in eigener Initiative und je nach den persönlichen Interessen französische Originaltexte zu bearbeiten. Relativ leicht ist das z. B. für den Anfang mit französischen Kurzgeschichten, zu denen deutscher Wortschatz angegeben ist.

Für die letzten Lektionen in Teil D gelten folgende **Generalanweisungen,** die Ihrem nun erreichten Kenntnisstand angepaßt sind:

- Lektionstext dreimal aufmerksam anhören, dabei gleich mitlesen.
- Wortliste aufmerksam durchlesen, Grammatikteil überfliegen.
- Lektionstext mit Hilfe der Wortliste und des Grammatikteils schriftlich übersetzen. Die Texte sind nicht einfach; Sie müssen sich Mühe geben.
- Lektionstext zweimal anhören und genau mitdenken.
- Lektionstext zweimal laut lesen.

Grammatikteil intensiv durcharbeiten. Es werden nötigenfalls wieder zusätzliche Erklärungen gegeben.

Übungen wie gewohnt gemäß Anweisungen unter 5 D bearbeiten, soweit nichts anderes angegeben ist.

LEÇON 31

31 A Siehe Generalanweisungen (S. 28).

31 B Zu **passé simple:** Dies ist eine Vergangenheitsform, die wir im Deutschen nicht kennen. Wir übersetzen sie mit Imperfekt oder Perfekt ins Deutsche.

31 C a) – c) Übungen schriftlich durchführen und mit dem Schlüssel vergleichen.

d) Übung schriftlich durchführen und mit dem Schlüssel vergleichen. Dann mündlich zweimal wiederholen.

e) Übersetzungsübung

LEÇON 32

32 A Siehe Generalanweisungen (S. 28).

Der Text entstammt dem Roman „Pilote de guerre“ (= Kriegspilot). Der Autor, Antoine de Saint-Exupéry, lebte von 1900 bis 1944. Er war Humanist und leidenschaftlicher Flieger. Er sah in der Technik ein Mittel, Welt, Mensch und Freundschaft zu entdecken.

32 B Zu **reflexive Verben:** Bitte prägen Sie sich die Bedeutung der angegebenen Wörter gut ein, soweit sie noch nicht bekannt sind.

32 C a) – c) Übungen schriftlich durchführen und mit dem Schlüssel vergleichen.

d) Übersetzungsübung.

LEÇON 33

33 A Siehe Generalanweisungen (S. 28).

Der Lektionstext entstammt dem Roman „Bon pied bon œil" (= Auf dem Posten). Der Autor, Roger Vailland, lebte von 1907 bis 1965. Er war Journalist und Kriegsberichterstatter und schrieb nach dem Krieg realistische Romane kommunistischer Tendenz.

33 B Zu **Infinitiv-Anschluß:** Da im Deutschen der Infinitiv mit oder ohne „zu" angeschlossen wird, fällt es uns nicht ganz leicht, eventuell zwischen zwei Präpositionen zu wählen. Erfahrungsgemäß gewöhnt man sich rasch an *de* und setzt diese Präposition dann auch statt *à*. Das bedeutet, daß die Verben, die den Infinitiv mit *à* anschließen, zusammen mit ihrer Präposition besonders gut gelernt werden müssen.

33 C a) Übung wie angegeben durchführen. Dann im Abstand von einigen Tagen deutsch-französisch bzw. französisch-deutsch je zweimal mündlich wiederholen. Bei Unsicherheit ggf. Originalsätze im Grammatikteil ansehen.

b) Einsetzübung

c) Umformübung

d) Übung schriftlich durchführen und mit dem Schlüssel vergleichen. Dann mündlich zweimal wiederholen.

e) und f) Übersetzungsübungen

LEÇON 34

34 A Siehe Generalanweisungen (S. 28).

Der Lektionstext entstammt dem „Petit Larousse", dem bekanntesten enzyklopädischen Lexikon der französischen Sprache in einem Band. Mit seinen vielen Illustrationen ist es ein wichtiges Nachschlagewerk, dessen Anschaffung zu empfehlen ist. Es kann in jeder Fremdsprachenbuchhandlung bestellt werden.

34 B Hierzu bedarf es keiner zusätzlichen Erklärung.

34 C a) Wie angegeben durchführen; dabei können Sie natürlich Ihr Konzept aus der ersten schriftlichen Übersetzung verwenden.

b) Übung schriftlich durchführen und mit dem Schlüssel vergleichen.

c) Übersetzungsübung

LEÇON 35 (Übungs- und Testlektion)

Die Übungen sollten auf zwei Tage verteilt werden:
1. Tag: Übungen 1–2.
2. Tag: Übungen 3–4.

Bei dem Text zu Übung 4 „L'étranger" handelt es sich um den Anfang eines der berühmtesten Romane der Nachkriegszeit. Er stammt von Albert Camus (1913 bis 1960), einem existentialistischen Autor, der 1957 den Nobelpreis für Literatur erhielt.

Und damit haben Sie den Schluß dieses Lehrgangs erreicht und eine sehr große Ausdauer bewiesen.

Wir hoffen, daß Sie Ihre Französischkenntnisse in Zukunft nutzbringend anwenden können und dabei viel Spaß haben. Wir hoffen auch, Ihnen mit diesem Lehrwerk den Weg zum Kennen- und Verstehenlernen unseres Nachbarvolkes geebnet zu haben.

Verfasser und Verlag

Auflage: 12. 11. 10. | Letzte Zahlen
Jahr: 1991 90 | maßgeblich

Druck: Druckhaus Langenscheidt, Berlin-Schöneberg
Printed in Germany · ISBN 3-468-80302-8